LA MADRE DE LA HUMANIDAD

La Madre de la Humanidad

ALDIVAN TORRES

Canary Of Joy

CONTENTS

1

LA MADRE DE LA HUMANIDAD

La Madre de la Humanidad
Aldivan Torres

Autor: Aldivan Teixeira Torres
© 2018-Aldivan Teixeira Torres
Todos los derechos reservados

Aldivan Teixeira Torres es un escritor consolidado en varios géneros. Hasta la fecha, los títulos se han publicado en nueve idiomas. Desde muy temprana edad, siempre fue un amante del arte de escribir habiendo consolidado una carrera profesional desde el segundo semestre de 2013. Espera con sus escritos contribuir al Pernambuco y a la cultura brasileña, despertando el placer de leer en aquellos que aún no tienen el hábito. Su misión es ganarse el corazón de cada uno de sus lectores. Además de la literatura, sus gustos principales son la música, los viajes, los amigos, la familia y el placer de vivir. «Para la literatura, la igualdad, la fraternidad, la justicia, la dignidad y el honor del ser humano siempre» es su lema.

20 de febrero de 1933

2 de marzo de 1933

Pura virgen de Umbe

23 de mayo de 1969

20 de julio de 1969

9 de septiembre de 1969

14 de julio de 1970

31 de julio de 1970

24 de diciembre de 1970

23 de mayo de 1971

22 de junio de 1971

2 de octubre de 1971

4 de junio de 1972

11 de diciembre de 1975

28 de febrero de 1976

Las apariencias de nuestra Señora de Fátima

Monte de la cabeza
1915

Lucía y otros tres amigos estaban en oración en el Monte de la cabeza. Durante la oración del tercero, fueron suspendidos en los árboles una figura similar a una estatua de nieve cuyo reflejo del sol hizo transparente.

"¿Qué es eso? Ellos preguntaron.

"¡No lo sé! Respondió a Lucía.

Las oraciones continúan. Tan pronto como terminaron, la misteriosa figura desapareció.

Primera aparición de Angélica

Monte de la cabeza
Primavera de 1916

Lucía y sus compañías turísticas estaban en el casillero cuando de repente escucharon un sonido de trueno. Mirando en la dirección correcta, vieron a un hermoso ángel aterrizando en el agujero de agua. Tenía alas doradas, pelo rubio, cara ahogada, piel curtida y un cojinete masculino y activo. Luego se puso en contacto conmigo:

"¡No temáis! Soy el Ángel de la Paz. Reza conmigo.

El ángel se arrodilló por la parte delantera hasta el suelo. Los niños hicieron el mismo movimiento, repitiendo lo que el ser celestial dijo:

"Dios mío, creo, te amo, te amo, te amo. Perdón por los que no creen, no aman, no esperen, y no los aman.

Esta oración se ha repetido tres veces. Después, el sacerdote celestial se levantó y habló.

"Reza así. Los corazones de Jesús y María son conscientes de la voz de vosotros.

Luego desapareció la apariencia, dejando a los jóvenes pensando completamente en lo que realmente significaba.

Segunda aparición de Angélica

Jueves de la casa de Lucía situada junto al Foso de Arneiro
Verano de 1916

Lucía y algunos colegas estaban felizmente charlando en este lugar cuando la aparición de un ángel hizo relámpagos. Era lo mismo que la apariencia anterior y tan pronto como llegó, transmitió su orientación.

"¿Qué estás haciendo? ¡Reza! Reza mucho. Los corazones de Jesús y María tienen sobre vuestros diseños de misericordia. He ofrecido constantemente a las Altas Oraciones y sacrificios.

"¿Cómo sacrificaremos? Preguntó a Lucía.

"De todo lo que podéis, he ofrecido un sacrificio en el acto de reparación por los pecados que es ofendido y rogado por la conversión de los pecadores. He dibujado, así que en tu tierra natal paz. Yo soy el ángel de tu guardián, el ángel de Portugal. Soporten especialmente y acepten con sumisión el sufrimiento que el Señor les envió, pidiendo al siervo celestial. Si es la voluntad de Dios, estoy listo para irme, el venerable psíquico ha sido.

"Muy bien. Dios está contento con él; ha construido el arcángel.

Dicho esto, desapareció como el humo. El resto del día, los regalos han vuelto a sus actividades normales. Pero no podían dejar de pensar en ese fenómeno.

Tercera aparición de Angélica

Monte de la cabeza

Otoño de 1916

Lucía y algunos colegas habían sido enviados a la cabeza para recoger algunos trozos de madera. En el momento en que terminaron el trabajo, agradecieron a Dios a través de las oraciones. En este momento, recibieron la tercera vez visitando al ángel de la paz en medio de truenos y relámpagos.

Trajo una taza y sobre él un huésped derramando gotas de sangre en el compartimento. Terminó la operación, fueron suspendidos en el aire el cáliz y el anfitrión mientras el ángel se arrodillaba y decía:

"Santa Trinidad, Padre, Hijo y Espíritu Santo, te amo profundamente y te ofrezco el Cuerpo Precioso, Sangre, alma y Divinidad de Jesucristo, presente en todos los tabernáculos y sacramentos y la indiferencia con la que él mismo se ofende. Y por los méritos infinitos de Su Santo Corazón y el Inmaculado Corazón de María, les pido que conversen a los pobres pecadores.

Posteriormente, el ser celestial se levantó tomando de nuevo el anfitrión y la Copa. Le dio a Lucía la anfitriona de comer, y el líquido del cáliz estaba bebiendo por Jacinta y Francisco.

"Toma y bebe el cuerpo y la sangre de Jesucristo horriblemente indignado por hombres desagradecidos. Reparad vuestros crímenes y consolad a vuestro Dios.

Produciendo en tierra, el siervo de Dios repitió la primera oración tres veces junto con los hijos.

"Santa Trinidad, Padre, Hijo y Espíritu Santo, te amo profundamente y te ofrezco el Cuerpo Precioso, Sangre, alma y Divinidad de Jesucristo, presente en todos los tabernáculos y sacramentos y la indiferencia con la que él mismo se ofende. Y por los méritos infinitos de Su Santo Corazón y el Inmaculado Corazón de María, les pido que conversen a los pobres pecadores.

En la otra vida, el ángel se levantó, satisfecho. Mirando en una dirección indeterminada, suspiró y se extendió golpeando sus alas doradas frenéticamente. Con una señal, finalmente se despidió de los psíquicos. El ciclo angélico había terminado.

Primera aparición

13 de mayo de 1917

Después de asistir a la misa dominical en la justicia Al, un distrito de Fátima, tres niños llamados Lucía de Jesús, Francisco Marto y Jacinta Marto, donde pastor rebaña en la tumba de Iria. Al llegar al campo al instante, una mujer hermosa apareció sobre un árbol. Llevando un vestido blanco, la extraña dama brillaba más que el sol. Sobre su cabeza, había una capa blanca chapada con oro, casi la misma longitud que el vestido. A su derecha, colgaba un rosario con cuentas brillantes con una cruz de plata. En el centro, llevaba alrededor de su cuello un collar de oro. Con una mirada seria, se puso en contacto con los psíquicos.

"Soy la Señora. Les pido que oren por la conversión de los pecadores. Además, también le pido que venga aquí seis meses consecutivos cada día 13 en este mismo momento. También, apareceré una séptima vez. ¿Desean ofrecer a Dios que soporte todos los sufrimientos que quiere enviarles, en el acto de reparación por los pecados que se ofende, y rogar por la conversión de los pecadores? Los interrogó, la madre de Dios.

"Porque la gracia de Dios será vuestra comodidad."

María abrió sus manos transmitiéndoles una luz vibrante que los transportaba tan íntimamente como su ser. Estar en presencia de la reina del universo era disfrutar de los placeres del cielo antes incluso de los incumplidos. Ahí es cuando, impulsivamente, los niños cayeron de rodillas diciendo las siguientes palabras:

"Oh, Santa Trinidad, te adoro. Dios mío, te amo en los Santos Sacramentos.

"Rezad al Tercer cada día para lograr la paz por el mundo y el fin de la guerra ha reforzado a Nuestra Señora.

Después, nuestra madre se levantó a los ojos de los psíquicos, desapareciendo en la inmensidad del cielo.

Segunda apariencia

13 de junio de 1917

La noticia de la aparición de la Señora ha dirigido toda la región. Con eso, algunas personas han estado disponibles para asistir al evento programado al mismo tiempo que antes el 13 de junio. En total, había 50 personas presentes en la escena. Empezaron a rezar el rosario y luego vieron un reflejo de luz que se acercaba como un rayo. En un momento, estaban ante la madre de Dios otra vez.

"La paz estaba sobre vosotros. Como ya se ha dicho, quiero volver a verlo aquí este mismo día del mes siguiente. No olvides orar por el tercero cada día y tratar de aprender a leer— Recomendado a Nuestra Señora.

"Sí, lo haremos, mi madre. ¿Podrías llevarnos al cielo? Preguntó a Lucía.

"Sí, a Jacinta y Francisco, los llevaré pronto. Pero te quedas aquí un rato. Jesús quiere servirte para hacerme saber y amor. Quiere establecer la devoción a mi Inmaculado Corazón en el mundo. A quien la abraza, prometo salvación, y seré querida a Dios estas almas, como flores me pusieron para adornar su trono.

"¡Oh, mi madre! Estoy triste porque no vaya al cielo con mis amigos, también. ¿Estaré sola aquí en este mar de lágrimas?

"Nunca te dejaré en paz. Mi Inmaculado Corazón será su refugio y el camino que los llevará a Dios ha reclamado la virgen.

En este mismo momento, la hermosa dama abrió sus manos comunicándolas con una intensa luz que los une en comunión con el cuerpo santo de Cristo. En su palma derecha, llevaba un corazón de espinas que representaban los pecados que dañaban dolorosamente el corazón de María. Cuando terminó de comunicar el espíritu de Dios a los pastores, María dibujó una ligera sonrisa y subió al este hasta que desapareció completamente entre las nubes. Los psíquicos y la multitud regresaron a sus hogares prometiendo regresar el mes que viene como pidió el santo.

Tercera apariencia

13 de julio de 1917

Lucía fue a casa de sus primos y los encontró rezando. Una gran alegría inundó el corazón de su pequeña niña, demostrando lo especial que era ese momento.

"¿Estás listo para ir a la Cueva de Iria? Preguntó a Lucía.

"Sí, primo. Inmediatamente, están respondiendo a los otros dos.

El fantástico trío salió de la casa llena de ansiedad y nerviosismo en lo que sería la tercera cita con la Inmaculada Virgen. En ese momento, todavía no tenían ni idea de lo grande que era una responsabilidad ser portavoz de la madre de Dios.

Al llegar a la escena, encontraron a un público de 2.000 personas esperando para desenrollar el fenómeno espiritual. Iniciando oraciones, se acercó una nube gris y aterrizó en el agujero de agua. Ella, saliendo de la bella e iluminando a Nuestra Señora. Luego se puso en contacto conmigo.

Quiero que vengan aquí el 13 del mes, y sigan orando al Tercer cada día en honor de Nuestra Señora de Rosario, para conseguir la paz del mundo y el fin de la guerra porque ella sola puede valer la Santa Madre.

"¿Qué más debemos hacer para ayudar? Preguntó a Lucía.

"Sacrifícatele por los pecadores a través de acciones, palabras y acciones. Al hacer sacrificios, repite esta frase, oh Jesús, es por tu amor, por la conversión de los pecadores, y en reparación por los pecados cometidos contra el Inmaculado Corazón de María.

"Entendido. ¿Algo más que añadir, mi madre? Preguntó al psíquico.

"Estoy listo para revelarte un secreto.

"Dicho esto, la madre de Dios te dio una señal, provocando la visión del infierno. Los tres niños vieron un gran mar de fuego metido bajo tierra. Dentro del fuego, había innumerables demonios y almas liberando gritos desesperados de dolor sin apoyo. Los demonios se destacaron en forma de animales sucios. Esta visión era bastante notable para esos niños inocentes, y si no fuera su promesa de llevarlos al cielo habría sido aterrorizada.

Al final de la vista, han vuelto al Santo Padre.

"Ves el infierno, a donde van las almas de los pobres pecadores. Para salvarlos, Dios quiere establecer devoción a mi Inmaculado corazón. Si haces lo que digo, muchas almas serán salvadas y paz. La guerra terminará, pero si no dejan de ofender a Dios, en el reinado de Pío XI comenzará otra cosa peor. Cuando una noche, iluminada por una luz desconocida, sabes que esa es la gran señal que Dios te da que castigará al mundo por tus crímenes, por la guerra, por el hambre y la persecución a la Iglesia y al Santo Padre. Para detenerla, vendré a consagrar a Rusia desde mi Inmaculado corazón y reparar la comunión los primeros sábados. Si cumples mis peticiones, Rusia se convertirá y tendrá paz. Si no, difundirán sus errores por todo el mundo, promoviendo guerras y persecuciones a la Iglesia, el bien será martirizado, el Santo Padre tendrá mucho que sufrir, al fin el corazón invicto triunfará. El Santo Padre me consagrará a Rusia, que se convertirá, y será concedido al mundo algún día de paz.

Inmediatamente, aparece en el lado izquierdo de Nuestra Señora, un ángel llevaba una espada de fuego en su mano izquierda. Al manejarlo, causó pequeñas explosiones que incendiaron al mundo. Pero todo salió del resplandor de la mano derecha de María. Al señalar con la mano derecha a la tierra, el ángel dice, "Penitencia, penitencia, penitencia, penitencia". En la secuencia, los psíquicos vieron a través de una luz gigantesca al sacerdote, obispos, sacerdotes y religiosos subiendo una montaña. En su parte superior, había una cruz. A sus pies, el Santo Padre fue asesinado por disparos de bala disparados por soldados. Tus camaradas también tenían el mismo destino. Junto a la cruz, había dos ángeles. Estos estaban reuniendo la sangre de los mártires y con ellos regaron las almas que se acercaban a Dios.

Al final de la visión, la madre de todos nosotros se levantó hacia la primavera hasta que desapareció completamente. Posteriormente, la gente volvió a sus hogares para cumplir sus obligaciones.

Cuarta aparición

15 de agosto de 1917

La repercusión de las apariencias fue grande en Portugal. Con eso, los niños psíquicos fueron atacados por una gran curiosidad y controversiales por algunos envidiosos. Una consecuencia real de eso fue su arresto la noche anterior a la aparición del agosto. Estuvieron encerrados en una celda durante tres días, sufriendo castigos e interrogatorios. Sin embargo, no pudieron obligarlos a revelar los secretos confiados por el santo. Eran la contradicción luego liberada.

En los quince de estos mismos meses, como pastor en la región de Valinhos, Lucía y Jacinto sintieron algo sobrenatural. Apúrate, enviaron a buscar a Jacinta y su llegada ha ocurrido el fenómeno de la apariencia de nuevo. Frente a ellos, apareció la misma anciana.

"Bendito sea el bendito. ¿Qué te trae por aquí esta vez?

"Quiero que vayas a la tumba de Iria el día siguiente trece y sigas orando por terceras partes cada día. En el último mes, haré el milagro, así que todos creen en la virgen.

"¿Qué vamos a hacer con el dinero dejado por la gente en la tumba de Iria?

"Haga dos camadas para la fiesta de la dama de Rosario. Lo que sea que quede, úsalo para construir la capilla. Rezad, rezad y haced sacrificios por los pecadores, que van muchas almas al infierno por no tener a nadie sacrificio y pedid por ellos - Recomendó a los bendecidos. Poco después, la virgen comenzó a subir hacia la primavera rápidamente. Esto era más de un fenómeno mariano.

Quinta aparición

13 de septiembre de 1917

Alrededor de 20.000 personas han asistido a este acto cristiano. Ellos comenzaron conjuntamente la oración del tercero. Casi inmediatamente, la nube se acercó y dentro de ella llegó la madre de Dios aterrizando en la parrilla.

"Sigue rezando el tercero para llegar al final de la guerra. En octubre, nuestro Señor, nuestra Señora del Dolor y Carmo, San José con el Niño Jesús, bendiga al mundo. Dios está feliz con tus sacrificios, pero no quiere que duermas con la cuerda. Traerla solo durante el día, puso a nuestra madre.

"La gente me ha pedido su ayuda y su cura, han destacado a Lucía.

"Sí, algunos sanarán. Otros no. En octubre, haré el milagro para que todos crean en nuestra santa madre.

Después, nuestra Señora se despidió. Como las otras veces, se estaba alejando hasta que desapareció en el firmamento. Luego, la multitud fue despedida, volviendo a sus respectivas residencias, ansiosa por la próxima reunión con la madre de Jesús.

Sexta aparición

13 de octubre de 1917

La repercusión de las apariencias en Fátima se estaba haciendo cada vez más grande. Con esto, cada sucesivo acontecimiento aumentó el número de personas. En este momento, había alrededor de 70.000 personas orando y cantando por

Nuestra Señora en la Cueva de Iria. No tardó mucho y se acercó la nube, trayendo con nosotros a nuestra santa madre.

"¿Qué buenas razones estás aquí, mi madre?

"Vine a pedir una construcción de capilla en este lugar en mi honor. Soy Nuestra Señora del Rosario. Sigue rezando por el tercero cada día. La guerra terminará hoy y los militares volverán a casa— dijo María.

"Tengo muchas cosas que preguntarte. Los más importantes se refieren a la cura y la conversión de los pecadores, dijo Lucía.

Algunos pecados, otros no. Deben ser inventados, y pedir perdón de sus pecados. No más ofensas a nuestro Señor, que ya está muy ofendido, hablaron la Santa Madre.

"¿Quieres algo más?

"No quiero nada más... Concluyó María.

La nube ha resucitado contigo, la reina del cielo. Luego vinieron las señales, al sol, vieron a San José, al Niño Jesús y a la Señora. Bendijeron al mundo con el gesto de la cruz. Entonces María apareció en la figura de Nuestra Señora del Carmo, nuestra Señora del Dolor más allá del par de carpinteros, bendiciendo de nuevo al planeta Tierra. Hasta que la visión desapareció completamente. Séptima aparición Marián.

15 de junio de 1921

En el convento, cerca de finales de 1920, Lucía recibió la visita del obispo D. José. Fue la primera vez que se reunieron, lo que hizo este momento excepcional y misterioso. Después de los primeros cumplidos, ambos entraron en una habitación privada. El lugar está decorado con muebles de madera, pinturas, estatuillas, con ventanas laterales revestidas por cortinas beige que las hace bastante cómodas. Situado en sillas delanteras alrededor de una mesa, ambos comenzaron a dialogar.

"Creo que deberías saber por qué estoy aquí, hermana. Hay un enorme estallido en Fátima. ¿Podrías explicarme mejor?

"Fue realmente increíble lo que pasó: el ángel, nuestra Señora, las multitudes creídas y los milagros. La lección que tomamos de todo esto es grandeza y el amor del santo a sus hijos, dijo Lucía.

"Sí, de eso, estoy seguro. Las apariencias han servido a su fin.

"Me siento muy honrado por la misión dada. La dificultad que encuentro es en cuanto a la fama y las consecuencias de esto para mi vida personal, ha construido Lucía.

"Lo entiendo perfectamente. Estaba pensando exactamente en eso. ¿Qué tal si te mudas a Porto? Nadie la conoce allí, Joseph.

"¿Puedo pensar por un segundo? Tengo tantas raíces por aquí, el devoto María.

"Te daré el tiempo que necesites...

El teléfono suena en la habitación y cuando el obispo responde a la ciencia de una urgencia en la ciudad vecina. Luego sacude su cabeza a su sentencia.

"Tengo que irme ahora. Piensa en ello y luego házmelo saber.

"Muy bien. ¡Ve en paz!

"Gracias. ¿Puede la virgen bendecirte?

El obispo sale de la habitación y está acompañado a la puerta por su hermana. Cerró la puerta, nuestro dulce joven vuelve a su mente, pensando qué hacer desde allí. Había muchas cosas involucradas en un probable cambio, y tendría que analizar meritoriamente los pros y contras.

Instantes más tarde, se sintió misteriosamente conducida de vuelta a Iria. Dejándose pasar por sus emociones, hizo un viaje al sitio, esperando encontrar una luz en medio de tantas dudas. Todo el camino, ella era feliz, tranquila y llena de proyectos. Sin embargo, aún faltaba algo en su vida que no entendía.

Finalmente viene. Cuando volvió a entrar en esas bandas, se reconoció a sí mismo la misma vieja. Fue entonces cuando oyó el ruido del trueno y el relámpago característico de las apariencias. En cuestión de segundos, alguien te tocó el hombro. Al dirigir la mirada hacia atrás, reconoció a su amada madre de nuevo.

"Aquí estoy por séptima vez, ve, ve por donde el Señor obispo quiere llevarte, esa es la voluntad de Dios.

"Sí, el sirviente está listo.

María se levantó y bendijo a su carismático cristiano. Fue en este hermoso momento donde Lucía agradeció a Dios por todos esos maravillosos acontecimientos. Había una nueva fase de su vida.

Apariencia mariana

Lucía en Pontevedra

10 de diciembre de 1925

Lucía se despierta en medio de la noche con un ruido como trueno. Al levantarse, ve la aparición de la Santa Virgen con un corazón astillado en sus manos y su santo hijo. Hay entonces una comunicación.

"Lástima el corazón de vuestra Santa Madre que está cubierta de espinas, que los hombres desagradecidos en todo momento los mataron sin que nadie hiciera un acto de reparación para sacarlos.

"Siempre estoy consciente de estos hechos, mi madre Correspondió a Jesús.

"Mira, hija mía, mi corazón rodeado de espinas, esos hombres desagradecidos me cortaron en todo momento con blasfemo y desagradecidos. Al menos, vean consolarme y digan que todos aquellos que, durante cinco meses, el primer sábado, si confiesan, reciben la Santa comunión, oren el tercero y me hagan 15 minutos de compañía, meditando en los 15 minutos de misterios Rosario para desactivarme. Prometo verlos, en el momento de la muerte, con todo el agradecimiento necesario, por la salvación de estas almas, dijo María.

"Te consolaré y haré todo lo que me pidas - Prometió Lucía.

"Además, me alegro. Bendiciones caerán sobre vosotros, garantizada la madre de Dios.

Dividiendo una amplia sonrisa, María y su hijo, desaparecieron de la presencia de lo psíquico. El resto del día, ella seguía pensando en el mensaje al mismo tiempo que estaba manejando sus obligaciones rutinarias.

Me reuniré con Jesús

Pontevedra

15 de febrero de 1926

Después de barrer el patio, la hermana Lucía descansaba cerca de la puerta. En algún momento, había un niño cuya apariencia ya era conocida.

"¿Le has pedido al Niño Jesús a la madre del Cielo? Preguntó al sirviente de María.

"Y has estado extendiéndote por todo el mundo, ¿qué te pidió la Madre del Cielo? Replicó al chico.

Una luz encendió al chico, lo iluminó con brillo. En esto, su hermana lo reconoció como Jesús.

"¡Jesús mío! Sabes lo que mi confesor me dijo en la carta que leíste. Dijo que era necesario que la visión se repitiera, que había hechos que se creyeran, y la Madre Superiora, solo para difundir este hecho, nada podía explicar a Lucía.

"Es verdad que la Madre Superiora sola, nada puede, pero con mi gracia, nada puede hacer. Y tú Confesor te perdonará, y tu superior te dice para que seas creído, aun sin saber quién fue revelado a Jesús.

"Pero mi Confesor dijo en la carta que esta devoción no era necesaria en el mundo porque había muchas almas que recibieron, hasta los primeros sábados, en honor a nuestra Señora y a los quince Misterios Rosario.

"Es cierto, hija mía, que muchas almas las comienzan, pero pocas las terminan, y los que las terminan, están con el fin de su gracia que se prometen, y me gustan más que los que hacen los quince con fervor.

"¡Jesús mío! Muchas almas tienen problemas para confesar el sábado. ¿Si permitiera que la confesión de ocho días fuera válida? Le preguntó al sirviente.

"Sí. Puede que sean muchos días más, siempre y cuando estén en gracia el primer sábado, cuando me reciban, y que en esta confesión anterior pretendían desarmar el Santo Corazón de María.

"¡Jesús mío! ¿Y los que olvidan formar esa intención? Interrogó al generador.

"Pueden formarlo en la próxima confesión, tomando la primera vez que tienen que confesar.

"Muy bien. Ahora veo, dijo Lucía.

"Muy bien. Ahora tengo que irme. ¡Estén en paz! Deseaba al Cristo.

"Que así sea. Aceptó con la hija de Dios.

El niño se fue inmediatamente y nuestra hermana vino a la casa para rezar un misterio y almuerzo listo.

Aparición de la Santa Trinidad y de Nuestra Señora

TUV

13 de junio de 1929

Era de noche. Lucía se encontró diciendo sus oraciones ante los Santos Sacramentos a la capilla. Ahí es cuando el espacio estaba lleno de una luz sobrenatural. Subió al altar, una cruz tanto que golpeó el techo. Al frente de la cruz, un hombre apareció con una paloma en el pecho. Predicado a ella, otro hombre. En la misma escena, fue suspendida en el aire, una taza y un gran anfitrión. En este último, las gotas de sangre estaban cayendo en el cáliz. En el brazo derecho de la cruz, María llevaba entre sus manos su Inmaculado corazón triunfante en cada ocasión. En el brazo izquierdo, las siguientes palabras escritas: "Gracia y misericordia".

La virgen se aprovechó de ponerse en contacto.

"En el momento en que Dios le pide al Santo Padre que haga, en unidad con todo el obispo del mundo, la consagración de Rusia a mi Inmaculado Corazón, prometiendo salvarla por este medio. Hay tantas almas que la justicia de Dios condena por los pecados cometidos contra mí, vengo a pedir reparación, sacrificaros por esta intención y orar.

Dicho esto, la visión desapareció completamente. Más tarde, sin cumplir los objetivos, la madre de Dios dijo:

"¡No querían responder a mi petición! Como el rey de Francia, se arrepentirán y lo harán, pero será demasiado tarde. Rusia ya habrá difundido sus errores por todo el mundo, causando guerras, persecuciones de la Iglesia: el Santo Padre tendrá mucho que sufrir.

La devota de María lloró por ello porque hizo todo lo que estaba en su poder. El mundo fue verdaderamente desagradecido frente a la Santa Madre de Dios. Sin embargo, tuvimos tiempo de reflexionar y cambiar esta realidad pidiendo protección a Nuestra Señora de Fátima, la protección de los cristianos portugueses.

Nuestra Señora de las Lágrimas

Campinas... Brasil

Amalia Aguirre era española. A los 18 años, emigró a Brasil. Aquí, adaptado rápidamente y siempre ha sido un valioso cristiano a través de actos, palabras y acciones. Ella era conocida por ser un devoto hierro de Nuestra Señora y tan pronto tomó votos de obediencia cristiana, entrando en el convento.

El 8 de noviembre de 1929, recibió una visita de un pariente y a través de él, se enteró de la enfermedad de su esposa. Según la evaluación médica, la enfermedad era incurable. Trasladada con compasión, se arrodilló al altar recurriendo a la ayuda de nuestro Señor. Ahí fue cuando llegó el contacto.

"Si no hay esperanza para la esposa de T, estoy listo para ofrecer mi vida por la madre de la familia. ¿Qué quieres que haga? Preguntó al siervo de Dios.

"Si deseas recibir estos favores, pídeme las lágrimas de mi madre, pones a Jesús.

"¿Cómo debo rezar? Le preguntó a la monja.

"Jesús, escuché nuestra suplicación por las lágrimas de Vuestra Santa Madre. Oh Jesús, mira las lágrimas de aquel que tanto amaste mientras estaba en la Tierra y que amas aún más íntimamente en el cielo, enseñó a Jesús.

"Gracias. Rezaré por aquí.

"Hija mía, lo que sea que me pida las lágrimas de mi madre, te concederé con amor. Entonces mi madre le concederá este tesoro a tu querido Instituto como un imán de la Misericordia, prometió al maestro.

"¿Puedes explicarme sobre esta devoción a las lágrimas de tu madre? Quería conocer al devoto.

"Las lágrimas de mi madre hoy. Durante veinte siglos, fueron retenidos en mi corazón divino para ahora librarlos. Con esta entrega. Yo constituyo el apóstol de Nuestra Señora de las Lágrimas, y sé que ustedes están listos para dar vida por la difusión de tal santa devoción. ¡Ser misionero de las lágrimas de mi madre es darme consuelos inmensos! He dado valor infinito a estas lágrimas y con ellas, aquellos que las propagan tendrán la felicidad de robar pecadores malvados, cuyo odio debe poner muchos obstáculos en los que no se conocen. ¡El mundo necesita misericordia! Y recibirlo no hay más don precioso que las lágrimas de mi madre. Si las lágrimas de una madre mueven el corazón de un hijo rebelde, ¿cómo no puedes tocar mi corazón, ¿quién ama tanto a esta madre? Este magnífico tesoro, guardado veinte siglos, está en todas las manos para salvar muchas almas de las garras del infierno. Cuando las almas generosas dicen, "Jesús Mío, a través de las lágrimas de vuestra Santa Madre", mi corazón se abre y las hace correr sobre las almas de mi misericordia. Todos aquellos que proponen difundir las lágrimas de mi madre, en el cielo, recibirán una alegría especial y alabarán las horas que han pasado para liberarlas. Todos los sacerdotes que difundan el poder de las lágrimas de María tendrán su obra produciendo frutos de la vida eterna, y grandes cosas harán por mi amor. La difusión de esta riqueza de las lágrimas de mi madre y de gran importancia para mi corazón porque me dará millones y millones de almas. Tu Jesús crucificado, que en todas las manos ha puesto un tesoro tan santo y poderoso, que debes ser un apóstol incansable y poder dar tu vida por él. Feliz, aquellos que esparcieron las lágrimas de María— dijo Jesús.

"Entendido. Gracias, querido Jesús.

"Estad en paz, hija mía. Ahora tengo que ir a encargarme de mis responsabilidades. No es fácil cargar el mundo sobre tu espalda, explicó el Mesías.

"Lo entiendo, señor. Muchas gracias. Dijo adiós al sirviente. Según la criada, el Señor de los cielos desapareció en las grietas del templo. Ahora estaba sola otra vez. Pero lleno de esperanzas de que un milagro suceda. Dejando el templo, oí la mejora de la mujer que pedí. Lleno de emoción, agradeció la acción instantánea del Espíritu Santo, demostrando su apoyo a los afligidos. La vida iba a seguir con más alegría.

Reuniones con Nuestra Señora

Primera cita
8 de marzo de 1930

Arrodillada en los pasos del altar, la hermana Aguire luchó en oración por los más necesitados. En particular, pidió a los enfermos, huérfanos, viudas y chicos de la calle. Fue entonces cuando estaba de pie ante una hermosa mujer que le sonrió. En sus manos, llevaba un rosario brillante y una corona. En cuanto a las túnicas, llevaba un vestido púrpura, una bata azul y un velo blanco sobre sus hombros. Al esparcir sus brazos hacia el sirviente, le dio un artefacto que decía:

"Esta es la Corona de mis Lágrimas, que mi hijo ha confiado a su querido instituto como parte de su herencia. Mi Hijo ha dado las invocaciones. Mi hijo quiere honrarme de una manera especial a través de estas invocaciones, y conceder todas las gracias que me piden mis lágrimas. Esta corona producirá la conversión de muchos pecadores, especialmente aquellos que están poseídos del diablo. El Instituto Jesús Crucificado está reservado un honor especial, que es la conversión de muchos miembros de un mal culto para la Florida del árbol de la Iglesia. A través de esta corona, el demonio será derrotado y el poder del infierno será destruido. Prepárate para esta gran batalla.

Dicho esto, la hermosa señora ha desaparecido. El devoto de María se levanta para cuidar el almuerzo de sus amadas hermanas con la esperanza de tener más noticias.

Segunda apariencia

8 de abril de 1930

De igual manera, la primera vez, la virgen, y el Señor Jesús se le apareció cuando estaba de rodillas en el altar objetivamente para usarla como instrumento de sus mensajes al mundo. Al lado, al lado, vestido de gala y esparciendo luz en todas las direcciones, se inició la conversación.

"Os deseo mi paz, amado siervo, Jesús habló."

"Feliz cumpleaños, querida María.

"Gracias a ambos. ¿Cómo puedo lograr la virtud de la humildad? Preguntó a Amalia.

"Queridos hijos, el perfume de la santa humildad, lo he guardado de los días que pasé la tierra." Esta hermosa virtud, el verdadero fundamento de toda santidad y que así agrada a Jesús, encuentra en mi corazón, por lo que os ofrezco como regalo. (Clara la garganta) Sin embargo, para recibir mis regalos, les exijo que confíen, que se filtren amor y fe. ¿Cómo puedo darte algo si no confías en mí? ¿Y cómo puedo hacerme rico si no me amas como madre? ¿Por qué no deberías creer en mí que he hecho tanto por ti? Cree en mi inmenso amor por ti, y entonces recibirás el perfume de humildad que concederás la gracia de la perseverancia final enseñó a la virgen.

"Aprendí de mí mismo, que soy un corazón manso y humilde, mostrando a todos, de tal manera que esta es la virtud favorita de su corazón.

"¿Cómo puedo alcanzar la gracia de tener buenas virtudes más allá de lo que he dicho? Investigó a la monja.

"Mis queridos hijos, soy rico en virtud, y es mi deseo que ustedes también. Hoy les doy mi obediencia y por la cual seréis agradables a Dios. Sin ella, no puedes contentar a Jesús que fue obediente a la muerte y la muerte de Cruz. Si eres obediente como yo, también, por ti, grandes cosas pasarán. En obediente, Jesús opera maravillas convirtiendo corazones débiles y aún llenos de pasiones mundanas en corazones similares a los tuyos.

"Dios me hizo grandes cosas porque siempre seguí según su voluntad. Si observas la obediencia, siempre andarás en la voluntad de Jesús, y hará grandes cosas por ti a favor de los pobres pecadores.

"Yo soy tu madre, María, que te bendice siempre a las manos de Jesús y del Reino donde el verdadero obediente cantará la victoria final.

"¿Cuál es la más importante de las virtudes y su colocación en la vida cristiana? Le preguntó a Amalia.

"Es pureza. "Queridos, quiero darte mi pureza, por la cual verás a Dios en tus obras y en tu alma." Bienaventurados los puros de corazón, porque ellos verán a Dios, Jesús te dijo.

"Yo soy la Reina de los Lirios, traje en su pecho la pureza infinita, y, por lo tanto, puedo enriquecerte de esta santa virtud, tal es solo dependiente de tu voluntad.

¡"Cuando Dios mismo encontró un corazón puro, vino a la Tierra, ¡e hizo carne en mi pecho virginal! Esta pureza, que habéis encantado y fascinado a Dios mismo, es el don que recibiréis en el momento en que me pedisteis con amor esta hermosa virtud. ¡Oh, queridos hijos, cada vez que me pidan esta virtud os daré una abundancia de mi pureza, porque os hará un santuario de Jesús! Y sé que si en esta pureza mueres, te presentaré en mis brazos a mi juicio privado y Jesús te dirá: "Entra, hijo amado, en tu dirección eterna, para que no te juzgue, porque en los brazos de mi madre, y tú eres mi amado hijo, en tu morada eterna, que no te juzgaré, porque en los brazos de mi juicio, y tu madre vendrá a mi juicio, porque en los brazos de mi juicio, y tu madre vendrá a mi morada eterna, porque en los brazos de mi juicio, y tu madre entrará tu madre, mi amado hijo, en tu dirección eterna, no te juzgaré, porque en los brazos de mi juicio, y vendrá tu madre.

"Yo, María, te bendigo del reino de una pureza infinita.

"¿Qué otra recomendación quieres darme? Dijo la criada.

"Quiero que conozcas una medalla de Nuestra Señora de Lágrimas y de Jesús. Deje que la medalla se libere ampliamente para que el poder de Satanás en el mundo sea derrotado. Le prometo a quien lo use devotamente numeroso, gracias.

"¿Cómo debería ser esta medalla? Dijo el sirviente.

"En frente, vuestras lágrimas han derribado la imagen de Nuestra Señora de Lágrimas en entrega al tercio de las lágrimas rodeadas por las siguientes palabras: En la parte de atrás, conocen la imagen de Jesús con exactas estas palabras: "Por vuestra divina gentileza, oh Jesús, salva al mundo del error que lo amenaza."

"¿Para qué es exactamente esta medalla? Le interrogué a su hermana.

"Aumentará la humildad de los fieles y promoverá la conversión de los ateos, herejes, comunistas, y con la corona de lágrimas, los poseídos por el diablo.

"¿Cuál es la corona de lágrimas? Preguntó al seguidor.

"Es una devoción privada a través de la oración, Jesús.

"¿Qué gracias podemos, alcanzarlo? Le preguntó a nuestra hermana en Cristo.

"Hija mía, sea lo que sea que me pida las lágrimas de mi madre, te concederé con amor. Entonces mi madre le concederá este tesoro a tu querido Instituto como un imán de misericordia. Reza la Corona de las Lágrimas, y difunde tu devoción. El demonio huye cuando se reza sinceramente, explicó Jesús.

"Estaré más tranquilo entonces. Mostraré esta devoción por todo el mundo en su honor, Prometeo Aguirre.

"El buen siervo, actuando así tiene todas mis gracias, dijo el Cristo."

"¿Vamos, hijo? Dijo María.

"Sí, mi madre. ¡Dejamos nuestra paz, querido amigo! Tiene a Jesús.

"¡Gracias! Ve con Dios, dijo Amalia.

Según la hermana, las dos entidades cristianas se levantaron hasta que desaparecieron completamente. Pondría en marcha todas sus recomendaciones, objetando una mayor gloria divina. ¡Bendice a nuestra madre!

Virgen del corazón de oro

Beauring-Bélgica

Beauring es un pueblo pequeño donde exactamente 33 apariciones marianas a cinco niños psíquicos llamados Andreia, Gilberta Degeimbre, Fernanda, Alberto y Gilberta Voisin. Se aparecía delante de la escuela donde iban a la escuela, y la mayoría de las veces se quedaba callada tirando levemente una sonrisa.

Apariciones

29 de noviembre de 1932

Fue casi de noche. Cuatro de los psíquicos mencionados fueron a la escuela para recoger a Gilberta Voisin llena de alegría y satisfacción. Al llegar al final de la calle, Alberto se da cuenta en los dos pilares que apoyaron el paso superior, la presencia de una figura femenina flotando similar a la imagen de Nuestra Señora de Lourdes.

"¡Mira ahí arriba en los pilares! Exclama Alberto.

Los otros niños asistieron a la petición y vieron una figura de blanco flotando entre el paso superior y la réplica de la gruta de Lourdes. Al salir, la pequeña Gilberta ve a la mujer también. Descríbelas, las monjas despedían a los niños, alegando que todo era solo una visión de ellos. Sin embargo, al día siguiente, la visión se repitió.

1 de diciembre de 1932

Los mismos niños acompañados de 12 personas regresaron a la escena. La apariencia se repitió, tomando unos momentos. Esta vez, se dieron cuenta de una luz más intensa alrededor de la mujer. Fueron destacados en sus características, la suave sonrisa adornada con una corona compuesta de rayos dorados.

Cuando comenzó su ruta a casa, la virgen se fue para quedarse delante del grupo. Estaba parada sobre una nube con las manos juntas y los ojos frente al cielo. Luego desapareció sin decir nada. En otras oportunidades, la señora ha vuelto a aumentar el misterio sin educación en estos fenómenos. Debido a las repercusiones de los hechos, la Madre Superiora ha prohibido la presencia de los niños en la escuela al día siguiente.

8 de diciembre de 1932

Durante la semana siguiente, se organizó una gran vigilia a los avistamientos de los avistamientos. Mientras rezaban, la virgen se les aparecía. Esta vez hubo un número significativo de conversiones al cristianismo, viniendo a personas de todo el país.

En medio de la tarde, el terreno alrededor del convento está ocupado por personas cantando a la Señora. Las buenas ondas de energía circulan a través de la ubicación del movimiento se extienden toda la tarde. Cuando llegan los psíquicos, la apariencia se repite. La gente pide que la Señora hable, pero en respuesta, reciben una sonrisa. La oración del tercero se inicia, y la mujer está presente todo el tiempo. Al final de este ejercicio religioso, la madre de Dios los bendice y desaparece.

Poco después, reaparece. Alberto prevé iniciar el diálogo.

"¿Quién es?

"Soy la Virgen Inmaculada.

"¿Qué quieres de nosotros?

"Quiero que seas siempre excelente.

"Haremos todo lo posible para intentarlo.

"También quería que construyeras una iglesia aquí para que la gente pueda venir en peregrinación.

"Llevaremos su petición a las autoridades competentes, aseguramos al chico.

"Bien. Me alegro de que hayas sido virgen.

"¿Qué debemos hacer para alcanzar la plenitud de las virtudes? "Preguntó al niño mencionado.

"Reza siempre. Me gusta especialmente la devoción al rosario "Nuestra Señora enseñó.

"Nos centraremos en esta oración y la difundiremos por todo el mundo", confirmó el joven.

Tengo un secreto que revelaros: Mi Divino Hijo pronto volverá a la tierra en la piel de un campesino de campo. A través de él, el mal será derribado y la resolución de Dios cumplida. Esto sucederá en cumplimiento de las promesas bíblicas, pero no será el fin todavía, "El santo informado.

"¿Cuándo sabremos de su presencia? "Preguntó Fernanda.

"No lo sabrán. Solo sucederá —dijo la virgen.

"¿Cuál es nuestro papel con la humanidad? "Gilberta preguntó.

"Convertiré a pecadores", reveló María.

"¿Cómo podemos llamarla realmente? Andrea preguntó.

"Yo soy la Reina del Cielo y la madre de Dios. Siempre reza: "dijo María.

"¿Cómo puedo cooperar en la causa de Christian? Preguntó a Fernanda.

"¿Amas, hijo mío? ¿Me amas? Sacrifícate por mí, pidió por la Santa Madre de Dios.

Abriendo los brazos, María le mostró su corazón brillante, y luego dijo:

"¡Adiós!

Luego desapareció como el humo. Cerraría el ciclo de las apariciones de Marián en Beauring. La virgen del Corazón Dorado es el protector oficial de los cristianos belgas.

Investigador de Brasil

6 de agosto de 1936

Había amanecido en el lugar de guardias como sucedía todos los días. La historia nos lleva a la casa familiar texana donde las familias se instalan en sillas alrededor de la mesa ubicada exactamente lo que sería el comedor.

"¡Todavía tengo hambre, papá! María de Luz después de masticar pan.

"¿Qué quieres que haga, hija? No tenemos más comida respondió a Arthur Teixeira en lágrimas.

"¿Qué tal si vas a buscar más judías de castor? Así obtendríamos más dinero, dijo la matriarca.

"¡Buena idea! María desde la luz, llama a María de la Concepción y juntos van al bosque para recoger judías de castor. No puedo irme ahora porque estoy ocupado rompiendo madera, observando a Arthur.

"¡Muy bien, papá! Aceptó con su hija.

Inmediatamente, el pequeño travieso se eleva a través de una gran parte de la residencia y finalmente salió. Después de caminar un rato, encontró a su hermana en el corazón María de la Concepción que se aprovechó suavemente para acompañarla. Al lado de lado, las dos chicas comenzaron el camino hacia la leña llena de miedo debido a los últimos acontecimientos en la región.

"Es muy peligroso venir aquí. Gracias por venir conmigo, amigo.

"No es nada, amigo mío. Juntos somos más fuertes dijo María de concepción.

"¿Pero ¿qué haríamos si Lampión apareciera delante de nosotros ahora? (María de la Luz).

"Nuestra Señora tendría que arreglarnos un camino para que este malvado no nos ofenda.

En este momento, María de la Concepción miró lejos de la cima de la sierra viendo la imagen de una mujer con un niño en sus brazos haciendo gestos con la mano.

"Mira la imagen, está exclamada.

El compañero viajante miró en la dirección y también vio la misma imagen. Pasaron mucho tiempo admirando el fenómeno en silencio de alegría. Luego empezaron a regresar a casa donde sus padres los estaban esperando. Han estado haciendo mil hipótesis a través de esos dulces. ¿Quiénes serían esos dos? La única certeza que llevaban era que algo extremadamente especial estaba sucediendo en ese lugar bendito, la tierra de dulces e ingresos.

Después de un breve período, ambos llegaron e inmediatamente entregaron el grano de Castor a la madre de María de la Luz. Enseguida, se dio cuenta de algo extraño que salía en el aire.

"¿Qué les pasa, chicas? Pareces un tipo.

"Vimos algo muy extraño, le dijo a María de la Concepción.

"Extraño, ¿cómo? ¿Podrías explicarme mejor? Preguntó la Matriarca de Teixeira.

"Vimos la imagen de una mujer con un niño en sus brazos saludando a nosotros en la cima de la sierra

"¿Qué? ¿Quieres hacerme creer en esas tonterías? Te equivocas. Ven a almorzar. Respondió rudamente, la mujer.

Casi como si llorara, las chicas obedecieron la orden del adulto y entraron en la casa. Pero no se sentaron en la mesa para almorzar hablando de la apariencia. Inmediatos después, el patriarca llegó. Al notar la ausencia de ambos en la mesa, interrogó a la mujer.

"¿Dónde están los dos pequeños? ¿Qué pasó?

"Se asombraron al campo diciendo que vieron la imagen de una mujer con un niño en el regazo de la sierra. Desde entonces, han estado actuando raros en la casa.

"¿Qué debemos hacer, mujer?

"¿Qué tal si los compruebas más de cerca? Quizás es una persona oculta.

"Tienes razón. Es la única manera de que puedan mantener la calma.

Arthur se encargó de comer rápidamente. Al final de esta actividad, se reunió con sus hijas. Acordaron salir juntos en el mismo lugar anterior. Usando la guadaña, iba a cortar a través de espinas, rascar, pelar y macambira. Sin embargo, era muy difícil el tráfico allí debido a la estrellada relevancia.

Cuando llegaron cerca de la cima, la visión reapareció, la vista de los niños. Pero su padre no vio nada a pesar de sus esfuerzos.

"No veo nada. ¿Podría preguntar quién es la señora de la foto? Preguntó Arthur.

"Sí. ¿Quién es la señora? Preguntó María de la Luz.

"Soy la gracia, contestó la mujer.

"¿Qué quiere, una señora aquí? Preguntó a la chica.

"Vine a advertirte que hay tres castigos enviados por Dios. Dile a la gente que ore y haga penitencia

Dicho esto, la misteriosa mujer desapareció. Volviendo a casa, le dijeron a tu madre lo que pasó, como se llamaba Auta

Teixera. Luego la conversación se extendió por toda la región. La consecuencia de eso es que muchas personas aparecieron en el lugar para orar y esperemos que la madre de Dios regrese. Fue un fenómeno notable y maravilloso de la fe cristiana.

Desde el tercer día, la gente presente exigía una señal para que pudieran creer lo que estaba pasando. Aburridos, los niños ordenaron al santo. En respuesta, la santa les dijo que daría una señal.

El otro día, las chicas volvieron a la escena. La mujer parecía que apuntaba el agua que salía de la roca. Nuestra Señora prometió la cura de la enfermedad a cualquiera que bebiera de esa agua.

Saliendo de ahí, regresaron a casa, difundiendo las buenas noticias. Con eso, personas de todo el país aparecieron al lugar, creyendo en Su Santidad.

En cuanto a la repercusión en la Iglesia Católica en relación con los hechos mencionados, María de la Luz y su padre fueron convocados para entrevistar con el obispo. En esta ocasión, los acontecimientos fueron reportados completamente relacionados con la apariencia. Después de que fueron liberados e instalados en la Iglesia, un proceso de investigación. Para este servicio, el obispo nombró a dos sacerdotes que se mudaron a la guardia el 20 de agosto.

Los siervos referidos de Dios han encontrado un estilo simple, estrecho, corto y de cabaña con una sola entrada. Cuando llegaste a la puerta, llamaron cuatro veces hasta que los dueños de la casa los conocieron. Entrando en el país, vieron una casa bien decorada llena de pinturas y pinturas de santos en las paredes. Por invitación del ama de casa, se instalaron en dos tambores en lo que sería la habitación.

Con suavidad, la matriarca de la familia se presentó como una fiel seguidora de los santos sacramentos y entidades cristianas y describió junto con los niños los detalles de los hechos que ocurrieron. Cuando el informe se terminó, por sugerencia de los anfitriones, comenzaron a escalar la ladera que dio acceso a la gruta.

Frente al sol cauteloso, las garras, las espinas, las dudas, la inquietud, el miedo y el peligro, los peregrinos fueron movidos por la fe en Nuestra Señora en todo momento. Los hizo gotear los peligros y seguir adelante. Después de un tiempo, estaban cerca de la ubicación determinada por los psíquicos. Inmediatamente, las chicas abrieron una linda sonrisa y dijeron:

"Estamos viendo a María en la puerta y bendiciéndonos.

Los sacerdotes dirigieron la atención hacia la ubicación, señalando a los niños, pero no podían ver. Sin embargo, sintieron un extraño sentimiento de paz y felicidad. El grupo continúa avanzando hasta que alcanza la cima del acantilado. Desde allí se puede ver todo el encantador paisaje de esa agresión salvaje. Qué bonito que estuviera allí antes de la presencia de la Reina del Cielo. Seguramente, vivían un momento único y notable.

"Fue justo cuando el investigador comenzó su trabajo.

"Les pido que quiten de la Concepción al Sr. Arthur y a María porque ahora hablaré con María de la Luz.

"Está bien, tú estuviste de acuerdo, Arthur.

Los dos han bajado por la colina en obediencia al sacerdote de Dios. Eran entonces solas la enviada del obispo y María de Luz.

"¿Ves a Nuestra Señora? ¿Puedes describirla? Preguntó al cura.

"Lo veo. Se parece a Nuestra Señora de Carmo de la Catedral. Su bata es azul, su vestido es crema y con un estandarte. En el brazo izquierdo, lleva a un niño y ambos tienen una corona brillante de oro en la cabeza. También veo su pie y el chico puso el brazo alrededor de su cuello y respondió a María de Luz.

"¿Cómo se llama crema? Preguntó al cura.

"Algo entre blanco y amarillo, dijo la joven.

"Muy bien. Puede bajar y llamar a María desde la Concepción, preguntó al sacerdote.

"Vale. Voy a Obedecer a María de la Luz.

María de la Luz caminó un poco hacia donde estaba María de la Concepción y le dio el mensaje del investigador. Fue entonces cuando el segundo vino a conocer al hombre de Dios. Se hicieron las mismas preguntas, y las respuestas fueron iguales a impresionar al vicario aún más. Para ponerla a prueba, continuó.

"Mira, hija mía, la otra dijo que Nuestra Señora estaba de un lado de aquí. ¿Cómo me dices lo contrario?

"Allí, no lo veo, respondió a la chica con calma.

"Muy bien. Llama a María de Light.

El psíquico obedeció a la colina. Luego ambos se fueron delante de su amigo.

"María de Luz, ¿cómo se llama la imagen? Preguntó al enviado.

"Ella respondió que es gracia, dijo María Da Light.

"¿Está triste? Continuó con el sacerdote.

"Se está riendo.

"Parece satisfecha, para mí, ha llenado a María de la Concepción.

"¿Me ve la imagen? Preguntó al vicario.

"Ella dijo que sí, contestó María de Luz.

"¿Puedo hacerle unas preguntas en otros idiomas?

"Ella dijo que sí, confirmó a María de la Concepción.

"Mira, ella y el chico se están riendo" Vio a las dos chicas. Las siguientes preguntas se hicieron en latín y alemán e incluso sin conocer los idiomas, los visionarios transmitieron la respuesta correcta en portugués.

¿"Es mater Divine gratias? "Lo soy.

¿"Es mater salvatoris nostri? "Sí.

"Es tantum meditrix gratiarum necesariarie ad Gautam? "Sí.

"Las desideras siguen siendo buenas? "Sí.

"Aut desideras reliquere hunk locum? "Sí.

"¿Corre él priman de anuncios? "Sí.

"Brasilia castigatus erit a Deo? "Sí.

"¿Quería el ego suma conoces? "Sí.

"¿Quare negaste antea? "No.

"Wer bist du - ¿Quién eres? "La Madre del Cielo.

"¿Es la imagen un alma o la Señora?

"La Madre del Cielo.

"¿Cuál es el propósito de tu estancia aquí?

"JESÚS lo envió.

"¿Para qué lo envió?

"Para decir que habrá momentos serios.

"¿Van a pasar estas cosas pronto? (APARICIÓN TIEMPO: 1936)

"No.

"¿Qué se necesita para mantener el castigo lejos?

"Penitencia y oración.

"¿Cuál es la convocatoria de esta apariencia?

"De, gracias.

"¿Sufrirán mucho los sacerdotes y los obispos? "Sí.

"¿Qué significa esta agua aquí? "Es una señal que di.

"¿Es esta agua buena para las enfermedades? "Para aquellos que tienen fe.

"¿Será este un lugar de devoción? "Sí.

"¿Será grande la persecución de la Iglesia? "Sí.

"¿Cómo puedo predicar esta aparición sin orden de las autoridades eclesiásticas?

"Más tarde lo permitirán. "Si eres la madre de Dios, danos que eres bendición.

De repente, la imagen los bendijo. Tocados, han hecho la señal de la cruz. Ahí es cuando se despidieron del lugar, volviendo a sus respectivas viviendas y obligaciones.

Las apariencias continuaron, con innumerables milagros siendo reportados. Por la fuerza de su voluntad, María de Luz se ha retirado a un convento donde comenzó su misión religiosa. A través de su oficio, difundió la devoción a Nuestra Señora con conducta. Nuestra Señora de la Gracia es por tanto el protector de todos los cristianos del Noreste.

Virgen de los pobres

Banneux-Bélgica-1933
15 de enero de 1933
Un domingo

Marietta concluye sus obligaciones por la tarde. Este hecho te hace feliz y útil. Ahora, es hora de esperar a que el hermano Julián venga del trabajo. Por eso, vas a la ventana y miras el camino lleno de expectativas. Unos momentos después, aparece en su jardín, la silueta de una mujer brillante vestida de blanco y cinturón azul. El extraño saluda a la chica que te llama.

Lleno de dudas, la niña exclama:

"Mamá, hay una mujer en el jardín, ¡y me está llamando!

La madre que estaba sentada en un tambor de la habitación se levanta y comprobará lo que pasó. Cuando se acerca a la ventana, se da cuenta de la presencia de ser brillante y en una actitud protectora, tira a su hija, diciendo:

"¡No salgas! Debe ser una bruja tratando de atraparnos.

Ambos cierran la puerta a la casa, y luego la visión desaparece.

18 de enero de 1933

La psíquica yace en el jardín en una oración ferviente cuando la misteriosa dama viene a ti. A petición de ella, la joven se levanta y va a la carretera. En el camino, cae dos veces al suelo que está debajo. En el tercer otoño, cae ante una fuente.

"Pon las manos en el agua. Esta fuente está reservada. Buenas tardes, hasta la próxima.

La chica obedece y entra en éxtasis. Cuando te despiertas, sientes un extraño sentimiento de felicidad. ¿Qué significaban esos fenómenos extraños? Su objetivo era investigar esto lo antes posible. Pensándolo bien, tu regreso a casa objetando a ayudar a tu madre con sus obligaciones domésticas.

19 de enero de 1933

Marietta vuelve a sus rodillas en oración. No tarda mucho y la extraña vuelve con una hermosa sonrisa en sus labios. Lleno de curiosidad, la chica empieza a hablar.

"¿Quién eres, hermosa dama?

"Soy la virgen de los pobres. Sígueme, por favor.

Lleno de confianza, la psíquica obedece a la mujer y juntos van a la fuente. En este sentido, se reanuda el diálogo.

"Esta fuente está reservada para mí. ¿Por qué me reservas?

"Esta fuente está reservada a todas las naciones. Para aliviar a los enfermos. Rezaré por ti. Nos vemos la próxima vez.

Dicho esto, desapareció misteriosamente en la curiosidad de esa chica traviesa.

20 de enero de 1933

La noche anterior fue una noche muy larga y ocupada donde el psíquico dormía muy poco. La consecuencia de eso es que se había despertado cansada y agotada, sin fuerza para levantarse. No fue a terminarlo hasta las 6:45. Inmediatamente, te duchas, llevas ropa limpia, cenas, sales al jardín, miras a la noche y rezas. Ahí es cuando tu amigo reaparece, impresionante como siempre.

"¡Aquí está! ¿Qué desea, mi hermosa señora? Preguntó a Marietta.

"Me gustaría una pequeña capilla, preguntó a la Virgen.

Levantando las manos, bendice a la chica y se levanta a los ojos. Después, han pasado tres semanas sin ninguna aparición de la Reina del Cielo. Sin embargo, el devoto insistió todos los días en sus oraciones, demostrando una fe inquebrantable.

11 de febrero de 1933

Parecía un día como cualquier otra persona normal. Sin embargo, una extraña fuerza empujó a Marietta de vuelta a la carretera. Ella obedece. En esta trayectoria, cae de rodillas dos veces, pero pronto se levanta debido a su fe mariana. Cuando llegas a la fuente, mojas las manos y haces el signo de la cruz. De tu lado, aparece la virgen de los pobres, sonriendo.

"¡He venido a aliviar el sufrimiento! Declare la madre del cielo.

El psíquico se pone estático. ¿Qué significa eso exactamente? Con la desaparición de la Inmaculada, se levanta del lugar que corre a casa. Me tomó tiempo calmarme, todo lo que le estaba pasando.

15 de febrero de 1933

Los dos confidentes se reúnen de nuevo en el jardín. Orientada por su confesor personal, la joven inicia el diálogo.

"Santa Virgen, tú. Padre me dijo que te pidiera una señal.

"Créeme, te creeré. No se les dará señales, sino el regreso de mi amado hijo en este tiempo. A través de él, los corazones se encontrarán de nuevo, Revelada María.

"¿Cuándo será esto?

Nadie lo sabe más que el padre. Todo lo que tienes que hacer es rezar mucho. Nos vemos la próxima vez.

"Nos vemos luego.

Escuchas un trueno y un relámpago respectivo. La virgen ya no la conoce, y luego el sirviente regresa a casa llena de esperanza. Había sido otro día bendecido por la gran madre del cielo.

20 de febrero de 1933

El frío es muy intenso hoy. Aun así, el siervo de Dios sale de la casa y hace el mismo itinerario que el otro tiempo orando. Su persistencia es otorgada con otra aparición de la Santa Virgen.

"Mi querida hija, reza mucho, mi madre.

"Cada vez que pueda, lo haré, mi amada madre... aseguró a la psíquica.

"¡Me alegro! ¡Nos vemos la próxima vez! Ha devuelto a María.

Dicho esto, desapareció en un momento. El siervo de Dios sintió un extraño sentimiento de felicidad preparándose para enfrentarse al resto del día. Tenías que ser feliz.

2 de marzo de 1933

Eran exactamente las 7:00, y ha estado lloviendo desde la tarde. Frente al mal tiempo, la joven va al jardín, donde reza su tercera. Durante la oración, aparece tu protector.

"Esta es la última vez que vengo aquí. Soy la madre del salvador, madre de Dios. Reza mucho.

"¿Qué quieres decir? ¿La última vez? El siervo devoto no quería creer esas palabras duras para su amor.

"¿Ya? Sí, por mi parte, lo prometo.

La virgen dio dos pasos hacia delante y puso sus manos sobre ella, dijo:

"¡Adiós!

El cielo se volvió azul, el sol brillaba, los ángeles cantaban, y una delgada brisa pasó por allí. Las apariencias marianas fueron cerradas en Banneux. La virgen de los pobres es una de las grandes veneraciones del pueblo belga.

Pura virgen de Umbe

Bilbao-España
1941-1988

Esta secuencia de apariencias a menudo ocurrió en la gran casa ubicada en una gran propiedad forestal, alcanzada a través de un camino estrecho a través del Alta Umbe.

25 de marzo de 1941

Felicia se encontró sentada en la mesa de la cocina en medio de sus oraciones habituales. A la medianoche, el ambiente está lleno de una luz sobrenatural y luego el psíquico puede ver a Nuestra Señora. Es preciosa y abre una sonrisa cautivadora. Más tarde, desaparece sin dar ninguna explicación adicional.

23 de mayo de 1969

Pasando por el pozo, hacia su casa, la madre de Dios vino a él de nuevo.

"Estás en mi casa, quiero que la dejes, recomiendes al santo.

Entonces la visión desapareció. Obedecieron el orden divino y siguieron la tradición de orar en esa ubicación hasta el tercero.

20 de julio de 1969

La noche bajó y el día libre tranquilo y tranquilo en todo evento. Felicia estaba meditando en la sala de casa cuando la misma luz sobrenatural entró en la residencia. Dentro de ella vino la figura de una joven con una corona en la cabeza y llevaba un rosario.

"El primer día que vine a salvarte, bajé primero, abajo por el pozo, esta agua será bendecida hoy para siempre y sanará a los enfermos y cuerdos que con ella lava su cara y pies. Quiero una capilla para criar a María aquí.

"Tomaré todos mis esfuerzos por esto. Además, me tomo este momento también para pedirle la cura de mi marido, que ha sido desenterrado por los médicos.

"Dile que se lave en el agua. Con fe, todo es posible. Estén en paz y cumplan mi petición.

María desapareció, y su sirviente pronto probaría el poder del agua bien junto con su marido. Una semana después, cuando volvieron a hacer las pruebas, no encontraron rastros de la enfermedad. Hubo, por el milagro de Nuestra Señora, por la mayor gloria de su nombre.

9 de septiembre de 1969

Después de la cena, la familia Sistiaga se mudó al pozo mientras tanto para hablar y observar la hermosa noche estrellada. Han estado en estas actividades mucho tiempo. A las 10:00 pm, hubo otro fenómeno sobrenatural. De repente, el ambiente estaba encendido y desde dentro de esta luz vino un ser glorioso que vino a pasar. Se trató con un ángel rubio con alas azules y llevaba un traje blanco entero.

Colgando con la chica, se puso en contacto conmigo.

"Toma este trozo de terciopelo negro. Con él, deben cubrir la imagen de Nuestra Señora— recomendó al ángel.

"Muy bien, señor, usted aceptó con el psíquico.

Sin más información, devolvió la luz y se fue lentamente hacia el cielo. Su tarea se había cumplido. En cuanto a la familia Sistiaga, con el susto, regresaron a casa inmediatamente. Ya basta de asustar por hoy, ya terminaste.

14 de julio de 1970

El devoto Marián estaba en su habitación rezando el rosario cuando la claridad común llegó a ella. En el lado derecho de tu cama, apareció la hermosa y sonriente Virgen María.

"Cumplí mi deseo en la tierra, de que yo haré el tuyo en el cielo. Te limpiaré las lágrimas.

"Gracias, madre. Hay tanto dolor que puedo soportar.

"¿No lo sé, hija? Ten fe y confianza en mi nombre. A través de sus acciones, él será cada vez más glorificado en la tierra.

"¡Que así sea!

"¡Estén en paz!

Dicho esto, la claridad estaba desapareciendo de la habitación. Fue entonces que el siervo de Dios aprovechó su obra diaria.

31 de julio de 1970

Era la tarde temprana. Felicia fue al campo para pasear las manadas. En el momento en que descansaba a la sombra de un árbol, la virgen vino a él por el camino de los animales. Era la misma joven hermosa que las otras veces, usando un conjunto de plata entero. En su brazo derecho, llevaba un rosario. Cuando viniste a la sirvienta, tenías que hablar.

"Buenas tardes, querida. Espero que la paz de mi Señor esté con vosotros.

"Sí, lo es. Quiero saber de ti qué tal el pozo bendito se verá.

"Mantendré lo que prometo. El agua continuará sanando.

"Estoy más cómodo. Te lo agradezco.

"De nada. Mira, vine a traerte un regalo, le dije al santo que entregaba el rosario.

"¡Muchas gracias!

"Deben orar y enseñar esta devoción todos los días. Mis oídos estarán conscientes de ustedes, y especialmente quiere la conversión de los pecadores.

"Haré lo que pueda y lo imposible. ¿Puedo traerte algo más, mi madre?

"Sí, lo sé. Construir una capilla en mi honor. Deseo que mucha gente venga aquí para adorar a Dios y a mi Inmaculada Concepción. Solo entonces el mundo encontrará la paz tan deseada.

"Lo entiendo. ¡Ya terminarás!

"Me alegro de oírlo. ¡Que se ponga bien!

"¡Que así sea!

La madre de Dios se ha retirado, considerada. La misión de hoy se terminó. Estaba esperando los próximos pasos. En cuanto a la sirvienta, al final del día, regresó a casa y comenzó a poner en práctica los planes de su mentor. ¡Todo por la gloria más grande de Dios!

30 de octubre de 1970

La familia Sistiaga se reunió en el salón para rezar. Tan pronto como comenzaron la oración del tercero, la virgen se les apareció, participando en este momento. Después de las oraciones, había ángeles cantando, lo que les dio el sentimiento de un cielo completo. Terminó los trabajos, la llena de gracia habló con el psíquico.

"Me gustó mucho quedarme a esta hora contigo. ¡Mi alma se regocija!

"¿Cuál es tu objetivo a través de estas apariencias?

"Quiero dar paz al mundo y quiero que oren en este lugar.

"¿Qué debemos hacer para lograr tu gracia?

"Crece los buenos valores. Si hacen lo que les digo, se salvarán a sí mismos, y tendrán paz.

"¿Qué debemos hacer más?

"Reza mucho, especialmente el rosario. Es a través de esta devoción que puedo hacer milagros.

"¡Muchas gracias!

"¡De nada! Que Dios esté contigo.

La iluminación sobrenatural ha cesado, y los dones han terminado las oraciones con un suegro. Después de que se retiraron en sus respectivos, felices y tranquilos dormitorios. Este había sido otro día iluminado por la madre de Dios.

24 de diciembre de 1970

Era de noche y el venerable siervo de Dios se había reunido en su habitación en cumplimiento de sus obligaciones religiosas. En medio de la oración de la tercera, he aquí que el Señor ha venido a vosotros con un aire muy serio y triste.

"¿Qué pasa, señora? ¿Por qué estás tan triste? Admiraba al sirviente.

"¿No viste lo que hice por tu gente? ¿Y mira lo que tengo? Que los enfermos sanen les agradezcan adecuadamente el favor que recibieron. Si no, tendrás castigo que mereces.

"Ten piedad de nosotros, mi madre. Todos somos pecadores sin entender. Que el corazón de tu madre se conmueva con compasión.

"Que así sea. Mientras tengan que enmendarse para evitar pecados. No le hagas daño al corazón de mi hijo. Para hacer eso, siga orando por la conversión de los pecadores.

"Sí, siempre estoy rezando.

"Muy bien. La cruz sea tu guía.

"Que así sea.

El alma de María ha subido al cielo a los ojos del confidente. Suspirando un poco preocupado, tu siervo pensó en la mejor manera de ayudar al Señor en su propósito. Entre las pocas certezas que tenía, una de ellas era que la conducta de los creyentes debía cambiar completamente o de lo contrario todo se perdería.

23 de mayo de 1971

En otro momento de complicidad y reserva en la habitación, María apareció su sirviente.

"Buenas noches. Todavía las herejías contra mi nombre y mi hijo, lo que me entristece mucho.

"¿Puedes explicarlo mejor? ¿Cuáles son los más dolorosos?

"Mis anhelos y dolores para todos mis hijos son infinitos. Grandes faltas de fe, en la tierra, traerán vuestra miseria. Si no haces un caso de lo que dije, entonces se acabó.

"¿Qué puede pasar?

"No tendrás luz para servir.

"¿Cuánto durará?

"Durará lo que sea necesario. Los justos y los dignos no sufrirán. Todos mis hijos tendrán que pedirle perdón a Dios. Esto será una advertencia de castigo. En el período que queda hasta entonces cambiará dos papas.

"¿Es esto reversible?

"Con mucha oración y un cambio de actitud. Hice tu parte continuando pidiendo a los pobres pecadores.

"Sí. Lo estoy haciendo, mi madre.

"Muy bien. Tu recompensa será genial. Vamos a vencer a los mal juntos.

"Que así sea.

María reemplazó la expresión de seriedad por una sonrisa y luego desapareció. De su devoto, continuó durante mucho tiempo pidiendo la conversión de los pobres pecadores. No sería por falta de acción el mundo se perdería. Cuando estaba cansado, se acostaba en su cama y descansaba el sueño de los mortales. Todos los días, tu preocupación.

22 de junio de 1971

Ha sido un día tranquilo, pero no mucho avance en cuanto a cambiar la actitud por parte de algunas personas. Eso fue realmente algo difícil de lograr. Era rogando por la misericordia divina que la virgen se manifestara de nuevo. Ella mostró una mirada triste, preocupada, profundamente sentada a la criada.

"Es realmente temeroso. Ha construido la virgen.

"Es verdad. ¿Y la situación en España?

"Liberaré a España de Guerras. Pero habrá muchas catástrofes y enfermedades causando la muerte de muchos.

"¿Cuándo ocurrirá este castigo?

"Antes del castigo, te avisaré.

"¿Cuáles son exactamente los hechos que van a ser?

"Brilla el cielo con una cruz, que, por deshacer, producirá una gran luz blanca, que incluso cubrirá el sol mismo. Durará cuatro horas. En segundo lugar, un viento ardiente soplará por toda la tierra. Muchos morirán de emoción. Aquellos que tienen fe en Dios no sufrirán.

"Bien. Gloria a Dios.

"Los justos siempre están protegidos. Continúe con su trabajo apostólico, hija mía. Bendición vendrá dando como resultado tus acciones. Estad en paz.

"Que así sea.

Mirando hacia el horizonte infinito, la Inmaculada Concepción sonrió con esperanza y resucitó. Todavía quedaba más por hacer en otras oportunidades. Mientras estaba esperando, su seguidor no se cansaría de trabajar para bien y conversión de los pobres pecadores.

2 de octubre de 1971

En otro importante encuentro con la madre de Dios, ambos discutieron sobre los temas relacionados con la salvación del alma humana.

"Si hubiera más gente dispuesta a sacrificarse a sí misma y orar por ellos grandes milagros ocurrirían.

"Haré mi parte. Sin embargo, la mayoría de la gente no. Esta es la realidad desnuda y cruda que debemos enfrentar.

"Sí, lo sé. Veamos que tu trabajo se propaga cada vez más.

"Que así sea. ¿Qué recomendación quiere reforzar para la humanidad, Madre Virgen?

"Rezad, hijos míos, haced penitencia." Pregunté, soy vuestra Madre. Dios le da a toda la humanidad un regalo que no puede vender, no puede comprar. Bueno, quiero salvar a mis hijos.

"Lo queremos. Por su parte, le pedimos que usted sea bendición y protección.

"Te tiene todo el tiempo. ¡Estén en paz!

"¡Que así sea! ¡Gracias!

La alegría divisoria, la santa madre de Dios desapareció con la recomendación de volver pronto. Su misión aún no se había cumplido.

4 de junio de 1972

La noche se acaba. Como siempre, el santo siervo de Dios se recoge en su habitación, con el objetivo de cumplir sus obligaciones religiosas. En medio de la oración de la tercera, una claridad sobrenatural llena su habitación y al mismo tiempo la virgen se presenta en blanco, con una corona dorada en la cabeza y con un rosario colgado en el brazo derecho.

"¿Qué quiere mi amada madre?

"Quiero que cumplas bien tu deber, reza siempre que yo sea la madre de El Salvador, la madre de Dios.

"¡Lo estoy haciendo!

"Además, quiero una capilla aquí, y se encadena a la procesión.

"¿Con qué propósito?

"Para la remisión de los pecados. Mi hijo está dolorosamente ofendido, y lo haré para desactivarlo.

"¿Qué pasa si no podemos cumplir tu petición?

"Si no escuchan mis palabras, esta nación cometerá muchos errores contra la Iglesia.

"¿Cómo puedo conseguir el favorito de Dios en este proyecto?

"Reza, mi hijo responde a tus oraciones.

"Algunas personas después de recibir la cura se están volviendo descuidadas.

"Los curados que no dan testimonio serán castigados con grandes males, aquellos que dan serán mis lámparas encendidas y siempre estarán bajo la protección de mi túnica.

"¿Podemos continuar difundiendo la fe en el agua del pozo?

"El agua continuará sanando.

"¡Bien! ¡Gracias a Dios y a tu intercesión!

"No es más que mi obligación ser tu Divina Madre. Felicidades y nos vemos la próxima vez.

"Nos vemos luego.

La Virgen suspiró como si pensara en algo. Han pasado muchas cosas. Ahora, se estaba acercando cada vez más a los últimos momentos. Aléjate del protegido, bendiciéndote con el signo de la cruz. Poco después, el psíquico cae en la cama fatigada. El día de trabajo se hizo.

11 de diciembre de 1975

Este fue otro día de bendición que la virgen contactó con el noble sirviente en su comisaría privada. Ella apareció bajo una nube vestida de blanco, inicialmente mostrando una cara seria y preocupada.

"Oh, mi amada madre. Veo la tristeza en tus ojos. ¿Cómo puedo aliviar tu corazón? "Preguntó Felisa.

"Cuando, con tus oraciones y sacrificios, me ayudes a salvar un alma y convertir a un pecador, curas una herida" contestó nuestra santa madre.

"¿Cómo evaluar nuestro trabajo aquí en Umbe?

"Estoy satisfecho con Umbe. Los tengo a todos bajo mi manto.

La virgen abrió una sonrisa cautivadora cambiando el aspecto de sus características. Esto significaba que a través de la obra de su amigo devoto y con las bendiciones de Dios, la fuerza del bien prevalecía sobre el mal.

"¿Cómo debemos actuar a partir de ahora? "Preguntó a la criada.

"Las almas que más amo son las que más sufren, que comparten mi dolor, reparando por los pecadores.

En el instante, abrió los brazos, saludando. Según el sirviente, desapareció sin más explicaciones. Su visita había dejado un rastro de hermoso perfume a través del cual los cristianos podían inspirarse. Eso significa en términos de actitud ser gentil, dulce, sensible, comprensivo, tolerante y amoroso con el siguiente. Eso es precisamente lo que la criada debería dar a los otros hermanos en cualquier oportunidad posible.

28 de febrero de 1976

Es el cumpleaños de Felisa. Un día lleno de felicidad en el que esta venerable criatura comparte con la familia y los amigos. Camina, baila, toca, canta himnos en honor al Señor por su vida. Todo es único y especial en ese día.

Cuando llegue la noche, se encierra en su dormitorio. Al rezar sus oraciones, la virgen se le aparece de la misma manera que siempre.

"Feliz cumpleaños. Me alegro, estoy contento contigo. Con Rosario, ganarás, no caiga de sus manos; los que lo abandonan perecerán.

"Muchas gracias. ¿Qué nos tiene que contar sobre el futuro de España? Preguntó al seguidor.

"Los días de purificación vendrán para España: perturbaciones sangrientas, malas cosechas, crisis, hambre, enfermedades y muertes", anunció el santo.

¿Y sobre la Iglesia?

"La Iglesia parece desaparecer y será como si fuera destruida.

"¿Cómo nos quedaremos entonces?

"Seré tu fuerte y te consolaré en estos días. Ahora tengo que ir definitivamente. Quédate con Dios.

"Que así sea. Bendito sea.

El cielo se abrió, los ángeles cantaron, y la tierra tembló en lo que fue el último día de esta secuencia de apariciones marianas. Que podamos seguir sus recomendaciones con fe y devoción, sabiendo que esta manifestación suya es uno de los principales protectores de los cristianos españoles.

El fin